Christian Jo
Christian He

Les P'tites Poules
et la Grande Casserole

L'auteur

Fils caché d'une célèbre fée irlandaise et d'un crapaud d'Italie,
Christian Jolibois est âgé aujourd'hui de 352 ans.
Infatigable inventeur d'histoires, menteries et fantaisies,
il a provisoirement amarré son trois-mâts *Le Teigneux*
dans un petit village de Bourgogne,
afin de se consacrer exclusivement à l'écriture.
Il parle couramment le cochon, l'arbre, la rose et le poulet.

L'illustrateur

Oiseau de grand travail, racleur d'aquarelles
et redoutable ébouriffeur de pinceaux,
Christian Heinrich arpente volontiers
les immenses territoires vierges de sa petite feuille blanche.
Il travaille aujourd'hui à Strasbourg et rêve souvent à la mer
en bavardant avec les cormorans qui font étape chez lui.

Pour en savoir plus sur nos héros et leurs auteurs,
découvre le site des P'tites Poules:
www.lesptitespoules.fr

Loi n° 49-956 du 16 juillet 1949
sur les publications destinées à la jeunesse: octobre 2013.
© 2012, Éditions Pocket Jeunesse, département d'Univers Poche.
© 2013, Éditions Pocket Jeunesse, département d'Univers Poche, pour la présente édition.
ISBN: 978-2-266-23805-2
Achevé d'imprimer en France par Pollina, 85400 Luçon – n°L76496
Dépôt légal: octobre 2013
Suite du premier tirage: juin 2016

Pour Coco, Grand Loup, P'tit Loup, Jaja et Nonotte,
le redoutable gang des « sœurs becs sucrés ».

(C. Jolibois)

Pour François, p'tit croqueur à pleines dents,
de ces « mille-feuilles » d'aventures.

(C. Heinrich)

La nuit est tombée sur le poulailler.
Pourtant, aucune petite poule n'est encore couchée.
Elles écoutent Pitikok leur lire le grand livre des étoiles.

– Regardez, mes enfants !
Devant nous, on peut voir le Batailleur.
Le coq aux plumes et aux pattes de diamant,
armé de sa longue épée d'argent. C'est lui qui, dans le ciel,
est chargé de chasser la nuit et de ramener le jour…

– Waouh !!! s'écrient poulets et poulettes émerveillés.

— Là-bas, poursuit le chef de la basse-cour,
cet astre qui brille plus que les autres… c'est l'étoile Poulaire.

— Qu'elle est belle !!!
s'exclament Bélino, Carmen et Carmélito.

— Sa présence dans le ciel signale l'arrivée prochaine de l'hiver.
Mais surtout, elle annonce l'immense fête
qui aura lieu demain dans tous les poulaillers.

La fête de l'Étoile Poulaire !!! Youpiii !!!

— Dis, papa, demande soudain Carmen,
cette casserole qui vient d'apparaître au-dessus de chez nous,
elle annonce quoi ?

— Mais… c'est fort simple, intervient Pédro le Cormoran, très sûr de lui. Elle signifie que vous allez passer à la casserole ! Bref, vous allez tous mourir !

La sinistre prédiction du vieux cormoran provoque aussitôt la panique chez les p'tites poules.

**Aaaaah…!!! Sauve qui poule !
Mais poulequoi?!? Poulequoi?!?**

– C'est malin, mon pauvre Pédro !
s'emporte Carméla.
Les poussins vont faire des cauchemars.

– Bon, tout le monde au nid ! dit Pitikok.
Demain, très tôt, nous irons en forêt, comme le veut la coutume,
ramasser noisettes, graines et pignons de pin
pour notre repas de fête.

Pour Coquenpâte, Bangcoq et Molédecoq,
l'arrivée de cet ustensile de cuisine dans le ciel
est un très mauvais présage.
– Je ne veux pas finir à la casserole! pleurniche Molédecoq.

Une idée germe lentement
dans la cervelle du petit rondouillard:
– Pour que la fermière ne puisse pas nous faire cuire,
eh ben, il faut lui voler son matériel, pardi! Suivez-moi!

– Qu'est-ce que t'es intelligent, Coquenpâte!

Dehors la neige commence à tomber.
Nos trois lascars sont entrés chez la vilaine.
Ils n'osent pas l'avouer, mais ils ont la pétoche.
Le cœur des p'tits poulets fait un bruit de marteau
dans leur poitrine. Un tapage à réveiller
toute la maison…

— Je la tiens, les copains ! chuchote Coquenpâte.
Maintenant, comment s'en débarrasser ?
Bangcoq se met à glousser :
— Et si on allait la jeter entre les griffes de
l'Abominable… du moulin de la rivière Kipu ?

Alors que Coquenpâte et sa bande se rendent discrètement au moulin, un cri déchirant monte dans le silence du poulailler endormi.

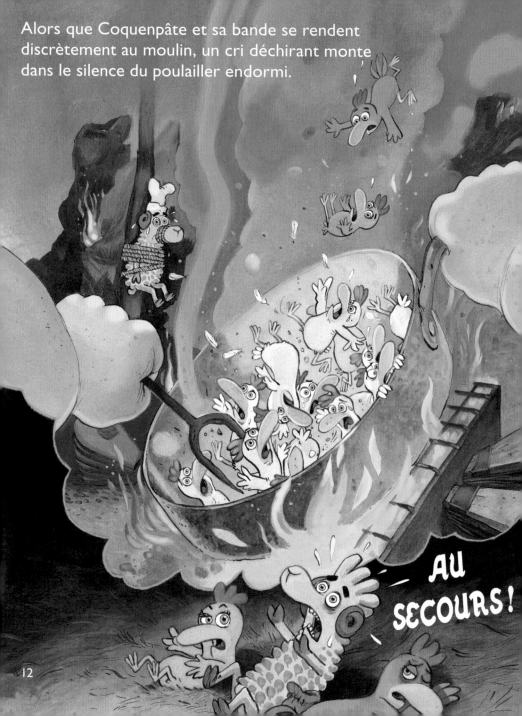

– Que t'arrive-t-il, Bélino ? s'inquiète Carmélito.
– Bêêêê… j'ai fait un horrible cauchemar !
Il y avait cette maudite casserole… Et… Et…
Vous deux… Et… Et… Tous les copains… Et… Et…
J'peux pas vous raconter tellement c'était affreux…

– Voilà, c'est fini… Rendors-toi, Bélino, lui dit Carmen.
– Je vais grignoter un morceau de Kipu.
Ça m'aidera à retrouver le sommeil…

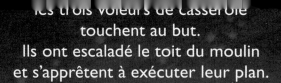

Les trois voleurs de casserole
touchent au but.
Ils ont escaladé le toit du moulin
et s'apprêtent à exécuter leur plan.

— Hé, hé, hé…
Personne ne pourra la récupérer
sans risquer de se faire dévorer…

Bon débarras !

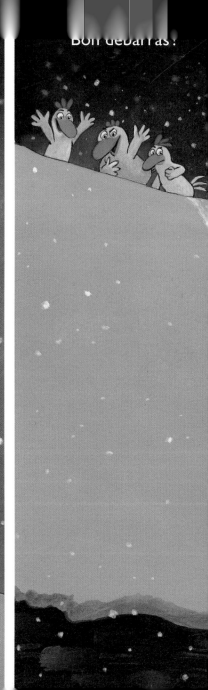

14

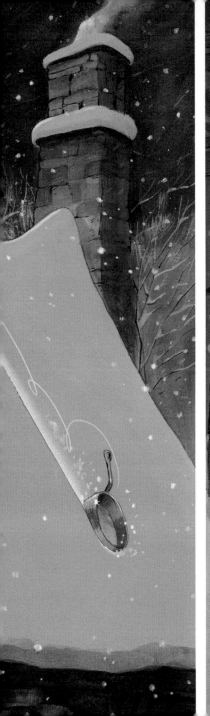

Quelques heures plus tard,
alors que la nuit enveloppe encore le poulailler,
c'est l'agitation des grands jours !
Malgré l'heure matinale,
pas une petite poule n'est restée paresser au fond de son nid.
Parents et enfants s'équipent pour aller ramasser en forêt
les délicieuses friandises que l'on partagera
au cours de la grande fête de l'Étoile Poulaire.

– Qui n'a pas son ver luisant ?
– Qui veut sa luciole ? Sa mouche à feu ?

Les p'tites poules se dirigent à travers les champs
et les bois en chantant :

« C'est nous les ga-ga, les gallinacés,
laissez-nous pa-pa, laissez-nous passer !
Nous on va ra-ra, on va ramasser
des marrons gla-gla, des marrons glacés… »

Les glaneuses se mettent à la recherche
de petites graines de millet, de noisettes, de tendres pignons
et de pommes givrées.

Hélas, tout ce petit monde a beau se démener,
la récolte n'est pas fameuse.
– Une horde de sangliers affamés nous a devancés, dit Pitikok, dépité
Ces goinfres ne nous ont laissé que des miettes !

Un peu à l'écart, Bélino a la chance de découvrir
des baies rouges dont il raffole.
– Il n'y en aura pas pour tout le monde.
Autant les manger sans rien dire à personne,
se réjouit le gourmand.

En se redressant, le petit bélier croit mourir de peur.
— **Aaaah!** Mon cauchemar recommence!!!

— Fuyez tous! Un monstre bossu!

Terrifiés, poulets et poulettes ont du mal
à empêcher leurs genoux de jouer des castagnettes.
Carmélito, bravement, s'approche et découvre une créature…
moche… Mais moche !
– Pourquoi est-il ficelé à cet arbre ?
– Z'avez vu ses dents ? s'écrie Molédecoq.
C'est sûrement un dévoreur d'enfants !

– Regardez ! Il bave…
– C'est un lépreux !!! s'étrangle Coqueluche avant de s'évanouir.
Un lépreux ! Un lépreux ! On va tous pourrir !!!!

Pitikok est obligé de donner de la voix pour calmer les esprits :
— Silence, la marmaille ! Vous êtes tombés sur la crête ?
Monsieur est un paisible marchand ambulant !

— Carmélito, aide-moi à délivrer ce malheureux.

Le colporteur au drôle de chapeau
remercie chaleureusement ses sauveteurs.
Il dit s'appeler Bagdadi et venir d'Orient,
une contrée fort reculée,
à des centaines de jours de marche d'ici.
Intriguée, Carmen lui demande :
– Mais… que viens-tu faire en ces lieux,
si loin de ta maison ?

– Chaque année, explique l'étranger,
je viens livrer ma marchandise à une très bonne cliente.
Une vieille femme aux cheveux rouges
qui habite au plus profond de la forêt…

— Mais, pour mon plus grand malheur,
cette fois, j'ai été attaqué par des brigands !
Ils ont volé mon précieux chargement.

— Monsieur Bagdadi, remarque Pitikok,
vous tremblez de froid ! Venez vous réchauffer
et reprendre des forces dans notre modeste logis.
— Ce soir, c'est la grande fiesta au poulailler !
Acceptez d'être notre invité, ajoute Carmélito.

De retour chez eux, poulets et poulettes font le compte
des quelques friandises glanées dans les bois.
Leur déception est grande.
— Misère à plumes ! s'emporte Molédecoq.
Avoir gratté aussi longtemps pour ça ?
— Deux noisettes et trois pignons de pin chacun !
Tu parles d'un festin ! râle Coquenpâte.

– Et ce soir, rappelle Cudepoule,
oncle Crêtemolle, sa femme et tous nos cousins seront là…
– S'il n'y a que ça à se mettre dans le gésier,
elle va être nulle, cette fête… ronchonne la volaille.

– Sans oublier cet étranger qui doit manger comme quatre !
grimace Bangcoq.

Le colporteur fait celui qui n'a pas entendu et dit :
– Hmm… Hmm… Mes amis, je crois que j'ai ce qu'il faut
pour sauver cette soirée…

Bagdadi ôte son turban avec précaution.
— Les bandits qui m'ont attaqué ont volé
tout mon riche chargement. Mais, heureusement,
ils n'ont pas découvert ma réserve personnelle. Regardez!

Carmen demande, émerveillée:
— C'est toi, le marchand de sable?

Le colporteur se penche vers les p'tites poules en chuchotant :
— Ceci est un trésor ! Un trésor… qui se mange !
Une délectable friandise inconnue chez vous.
Allez-y ! Goûtez !

Les enfants, un peu méfiants, hésitent.
Leurs parents leur ont bien répété
de ne jamais accepter de cadeau d'un étranger…

Mais Coquenpâte ne peut résister
et se jette sur les mystérieux petits cristaux
qui scintillent dans le chapeau.

— Miaaam ! fait le gourmand en se caressant le bidou.
Que c'est bon !

Les p'tites poules, qui ne veulent pas rater ça, se précipitent.
— Mmmm… Exquis ! Savoureux ! Succulent !

— C'est le meilleur amuse-bec que j'aie jamais goûté,
se pâme Carmélito.

– Cette chose raffinée, c'est le sucre! explique Bagdadi.
Une gourmandise qui apporte douceur et bonne humeur,
console des gros chagrins, donne du plaisir
et chasse tous les soucis. On le croque et… hop!
de larges chourires che déchinent auchitôt
chur les bouilles des petits et des grands.

– Quelle chance d'avoir dans son pays des mines de sucre!
s'exclame Carmen.

– Vous m'avez sauvé la vie et offert l'hospitalité,
reprend le marchand, très ému,
en s'appuyant sur sa canne à sucre.
Aussi, je vais vous révéler le secret de cuisine
le mieux gardé d'Arabie.
Comment, par magie, changer ces petits grains en friandises
plus délicieuses encore qu'on appelle : **les bonbecs** !!!

Une friandise meilleure que le sucre… ?
Les p'tites poules réclament aussitôt sur l'air des lampions :

**«Bagdadi, la magie ! Bagdadi, les bonbecs !
Bagdadi, la magie ! Bagdadi, les bonbecs !»**

— Pour cela, il me faut une grande casserole…

— Nom d'une coquille!!! s'écrie Carmélito.
La grande casserole!!! Vous entendez ça, les copains?

— Je sais où en trouver une, dit Carmen.
Celle de la vilaine est accrochée près de la cheminée.
Allons lui emprunter!

– Attendez ! Attendez !
La casserole n'est plus chez la fermière !
hurle Molédecoq.
– C'est vrai, reconnaît Coquenpâte, un peu gêné.
On s'en est débarrassés ! Loin, loin d'ici…

– Quel boulet, ce poulet ! s'emporte Carmélito.
Le temps presse ! Il ne nous reste que quelques heures
pour préparer le repas de fête.

– Où l'avez-vous mise ? Vite ! s'écrie Carmen.

— On l'a jetée dans la cour du moulin de la rivière Kipu,
avoue Bangcoq.

— Je connais ! s'enflamme Bélino.
C'est là qu'on fait mon fromage préféré !
Je vais vous y conduire.

– Enfer et crotte de poule !
On a oublié de leur parler de... l'Abominable !!!
Ils vont se faire manger tout crus !

Après qu'ils ont marché très longtemps dans la neige,
le petit bélier s'écrie :
– Là-bas ! Au bout du chemin… Nous y sommes !

– J'aperçois la casserole au milieu de la cour.
La récupérer sera un jeu d'enfant.

Le petit coq prend la direction des opérations :
– Avançons sans bruit
pour ne pas attirer l'attention du meunier…

— Touche pas à ma sœur !
menace Carmélito.

Face au danger, Carmen garde son sang-froid et lance au molosse :
– Tiens ! Goûte-moi ça, mon gros pépère !

— C'est bon, hein ? Il aime ça, le chien-chien !

– Encore un su-sucre ? Oooh ouiiii !
C'est le su-sucre du mâtin, ça !

– Rejoins-nous, Bélino !
Ce gentil toutou se propose de nous raccompagner
au poulailler !

Mission « Grande Casserole » accomplie !
Carmélito, pareil au dieu Apollon conduisant le char du soleil,
encourage de la voix leur fougueuse monture :
– Plus vite, le chien ! Plus vite !
À la vitesse de l'éclair, les trois amis s'élèvent au-dessus
des champs, volent sur les chemins
et franchissent d'un bond les rivières et les bois.

39

Soudain, au plus profond de la forêt,
ils sont intrigués par un étrange
spectacle... Mais...
pas le temps de flâner.
On les attend au poulailler.

Cela fait maintenant des heures
que Bagdadi s'active au fourneau.
Le chef confiseur a confié à chacun des jeunes commis
une tâche bien précise.

— Carmélito, apporte-moi les graines, les pignons
et les noisettes que vous avez rapportés de la forêt !
— Oui, chef !
— Carmen, Hucocotte, ramassez tous les fruits abandonnés
dans les vergers alentour.
— Oui, chef !

Il est bien loin, le temps où l'étranger au turban
provoquait la peur chez les p'tites poules.
Les senteurs parfumées du sucre caramélisé
embaument la campagne et donnent l'eau à la bouche.
Une nuée de marmitons pleins d'entrain casse les noisettes,
dénoyaute les mirabelles, écrase les baies, pèle les pommes,
pile les amandes, tamise les pignons, trie les graines
et touille les confitures…

Un vent de folie sucrée souffle sur le poulailler!

À la nuit tombée arrivent les premiers invités.
– Dis, oncle Crêtemolle,
demande Poule Émile Victor,
c'est quoi cette casserole dans le ciel?
– Une casserole? Quelle casserole?
J'vois pas de casserole!

TOC!

TOC!

TOC!

TOC!

Entrez les amis!!!

Venez déguster : croquants de lombrics caramélisés, sucettes aux fourmis rouges, pralines façon Carmen, petites mouches au sirop, berlingots à la Carmélito, caramels au lait de pucerons, roudoudous à la liqueur d'escargot, barbapapa du sultan et autres merveilles...

Que la fête commence !!!

Ce fut, de mémoire de p'tite poule,
la plus belle, la plus joyeuse fête de l'Étoile Poulaire.
Dans cent ans, on parlera encore, je vous le dis,
de la fabuleuse soirée sucrée Bagdadi !

Les p'tites poules remercièrent avec chaleur
le courageux colporteur venu d'Orient :
– Quand on pense que, sans toi,
on n'aurait jamais mangé de bonbecs de notre vie !!!
– Nom d'une poule ! Un monde sans sucre ! L'enfer !

La fête s'achevait quand soudain
retentirent de terribles cris de douleur.

– Oh, que j'ai mal !… gémit le pauvre Bagdadi.
J'ai oublié de vous dire, les enfants : le sucre, c'est bon,
mais, hélas, ça fait des trous dans les dents !!!

Nous, on s'en moque !
On n'a pas de dents !!!